토드 선장과 블랙홀

SEOUL, 2018

토드 선장과 블랙홀

제인 욜런 글 · 브루스 데근 그림 · 박향주 옮김

시공주니어

토드 선장과 블랙홀

초판 제1쇄 발행일 1998년 11월 20일
개정1판 제1쇄 발행일 2003년 3월 10일
개정2판 제1쇄 발행일 2018년 1월 15일
개정2판 제9쇄 발행일 2022년 3월 20일
글 제인 욜런 그림 브루스 데근 옮김 박향주
발행인 박헌용, 윤호권 발행처 (주)시공사
주소 서울시 성동구 상원1길 22, 6-8층 (우편번호 04779)
대표전화 02-3486-6877 팩스(주문) 02-585-1247
홈페이지 www.sigongsa.com/www.sigongjunior.com

ISBN 978-89-527-8625-8 74840
ISBN 978-89-527-5579-7 (세트)

*시공사는 시공간을 넘는 무한한 콘텐츠 세상을 만듭니다.
*시공사는 더 나은 내일을 함께 만들 여러분의 소중한 의견을 기다립니다.
*잘못 만들어진 책은 구입하신 곳에서 바꾸어 드립니다.

KC마크는 이 제품이 공통안전기준에 적합하였음을 의미합니다.
제조국 : 대한민국 사용 연령 : 8세 이상
책장에 손이 베이지 않게, 모서리에 다치지 않게 주의하세요.

두꺼비 같은
우주 비행 훈련생
숀 배리와 개릿 배리에게

- 제인 욜런

이미 오래전에
구슬치기 놀이를 잊어버린
레니와 제리에게

- 브루스 데근

토드 선장의 탐험 일지 :
고약한 포도 행성
괴물 수중마왕 행성
바다의 신 참치 행성
왕고래 헬리 혜성
아기자기 올챙이별
두꺼비 개기 일식
죽음의 소행성
우주 해적 도롱뇽 침투

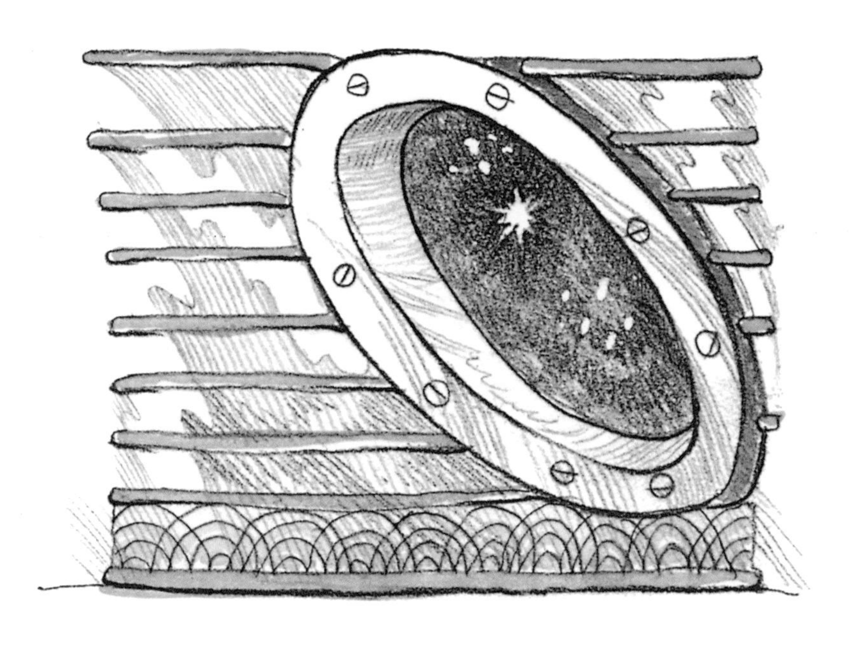

수많은 우주선이

별무리를 헤치며 날아갑니다.

그중에서 가장 빠른 것은

토드 선장의

우주선입니다.

용감하고 지혜로운 선장!

지혜롭고 용감한 선장!

그 이름도 위대한 토드 선장!

우주선 이름은

'별똥들의 전쟁'호.

새 우주를 찾아라!

은하계를 탐험하라!

지구의 한 줌 흙을 외계로 가져가라!

별똥들의 전쟁호,

그 임무는 막중합니다.

토드 선장의 대원들은

최고 중의 최고,

일등 중의 일등이지요.

똑똑하고 날렵한 나리 중위,

커다란 기계를 좋아하고요.

막내 대원 공중제비,

지도에서 항로를 찾아내지요.

생각도 많고
아는 것도 많은
엄청생각 씨,
그러나 말은 조금만 하지요.
가장 나이 많은
닥터꼼꼼 씨,
초록색 풀잎 가발을 쓰고
대원들의 건강을 보살피지요.

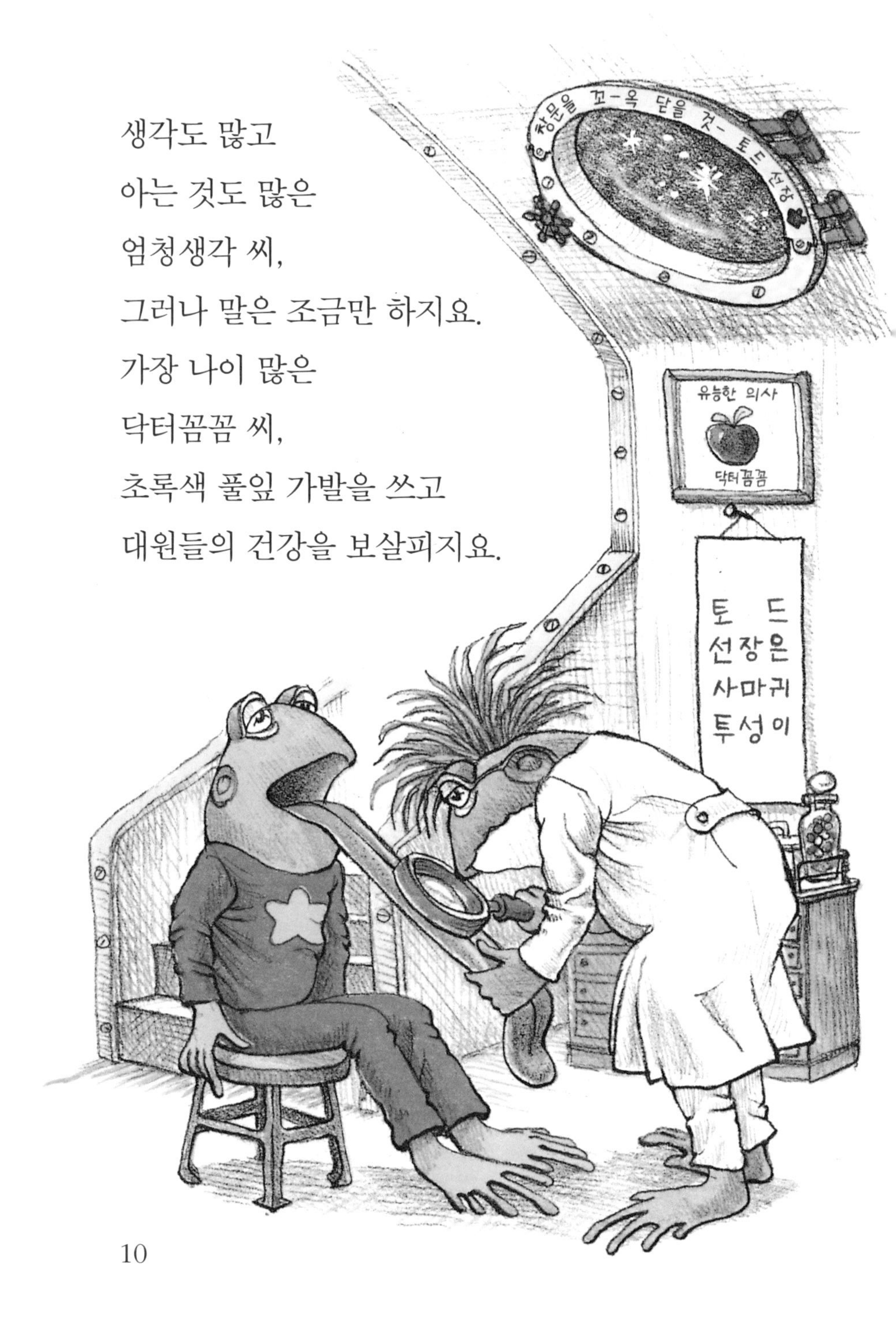
창문을 꼬-옥 닫을 것- 토드 선장
유능한 의사
닥터꼼꼼
토 드
선장은
사마귀
투성이

우주를 여행할 때도
여러 가지 음식을 먹습니다.
뜨거운 것도 있고,
차가운 것도 있고,
맛있는 것도 있고,
맛없는 것도 있고,
사탕처럼 달콤한 것도 있고,
소금처럼 짠 것도 있고,
그저 그런 것도 있지요.

그러나 우주선에서 먹는 음식은
모두 똑같이 생겼습니다.
“모든 음식이 알약처럼 생겼군.”
투덜대는 닥터꼼꼼 씨.

"종알처럼 생겼는데요."

부루퉁한 나리 중위.

"제가 보기에는 모두 구슬 같아요."

한숨짓는 공중제비.

"수많은 눈알이 나를 노려보는 것 같군."

한마디 하는 엄청생각 씨.

그러나 위대한 토드 선장, 빙그레 웃지요.
“우리 어머니께서
‘입안에 음식이 있을 때는
말을 하지 말아라.’ 하셨다네.”
그 순간 동글동글한 작은 음식들이
선장의 입에서 튀어나와
사방으로 흩어졌어요.

"에구머니, 이게 웬일이야!
토드 선장님 댁은 보나 마나
엉망진창이었겠군요."
나리 중위가 절레절레 고개를 저었어요.

공중제비는 한숨을 쉬면서
자루걸레를 가져와
여기저기 흩어진 음식을 닦아 냈지요.
"그렇지 않았어.
우리 어머니께서는 항상
말끔히 청소를 해 놓고 계셨거든.
'좋은 집이 따로 있니?
깨끗한 집이 좋은 집이지.'
하셨어."

“저는 선장님 어머니가 아니에요.”

공중제비가 투덜거렸습니다.

“그렇지만 나는 자네 상관일세.”

토드 선장이 말했습니다.

공중제비는 하는 수 없이 걸레질을 했어요.

닥터꼼꼼 씨,

창밖을 내다보다 중얼거렸습니다.

"저기, 저 구멍이 뭐지?

좋은 것인지

깨끗한 것인지

알 수 없지만,

시커먼 것만은 확실한데……."

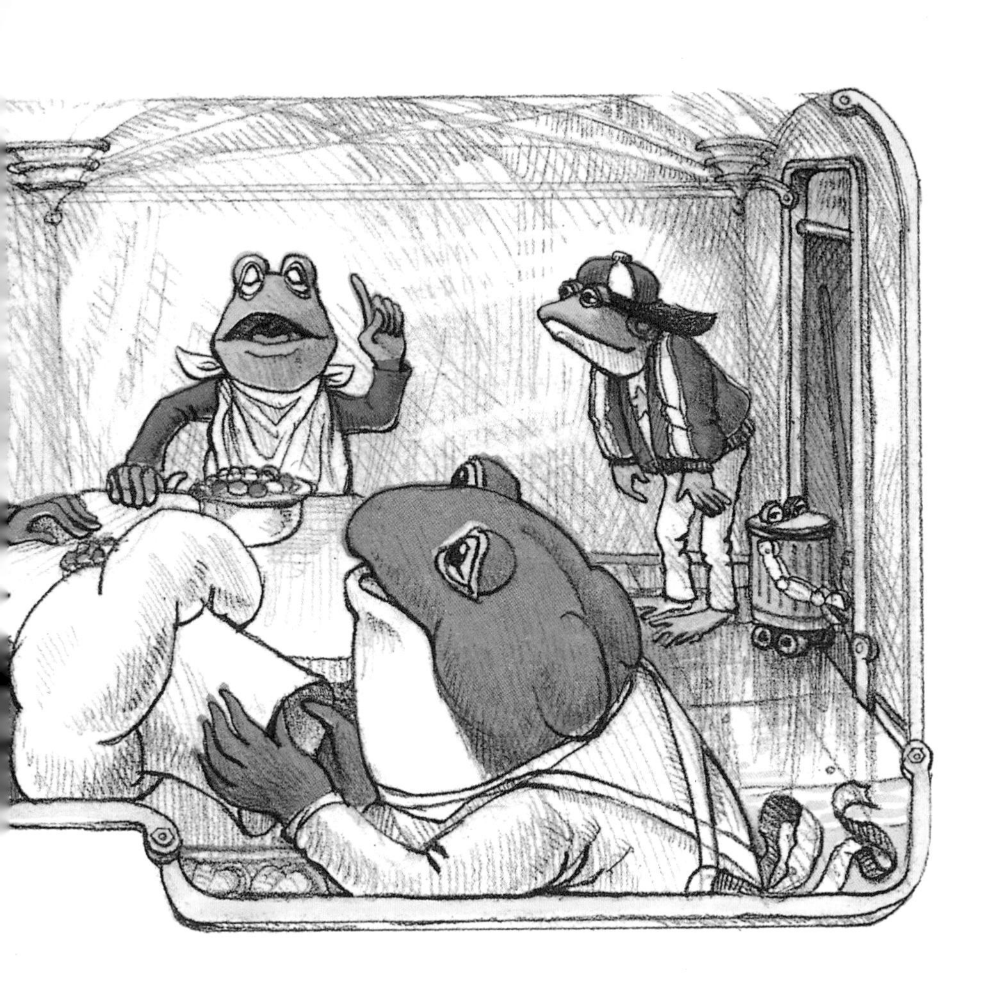

“시커먼 구멍이라고요? 그럼, 블랙홀?”

대원들이 입을 모아 소리쳤습니다.

엄청생각 씨,

오랫동안, 열심히, 곰곰이 생각했습니다.

“블랙홀에 무엇이 사는지는 아무도 몰라.”

“저렇게 커다랗고 시커먼 구멍에도
사는 것이 있어요?”
막내 공중제비가 떨리는 목소리로
물었습니다.
“물론, 있고말고.
지구에서는 모든 동물이
구멍 속에서 살지.”
식탁에 앉아 있던 엄청생각 씨가
일어서며 대답했습니다.

"두꺼비도 구멍집에서 살고……."
토드 선장이 말을 하는데,
"지구처럼 여기 우주에서도
구멍은 누군가의 집이야."
엄청생각 씨가 끼어들었어요.
"그러면 귀신이나 괴물의
집일 수도 있겠네요?"
공중제비는 제풀에 겁을 먹고
목을 움츠렸어요.

토드 선장이 빙그레 웃었습니다.
“지구에서 어머니와 내가 살던
구멍집은 매우 멋진 곳이었어.
방이 일곱 개나 있고
뒤쪽으로는 호수가 내려다보이는
베란다가 있었지.
여름밤이면 베란다에서
노래를 멋지게 부르기도 하고.”
그때 닥터꿈꿈 씨가 헛기침을 했습니다.
“내 평생, 노래 잘하는
두꺼비는 보지를 못했네.
개구리라면 모르지만.”

"그렇지 않아요.
두꺼비들도 노래를 잘해요.
특히 선장쯤 되는 두꺼비는 명가수라고요."
그러더니 토드 선장은
노래를 부르기 시작했습니다.
"내 고향 구멍으로 날 보내 주……
오곡백화가 만발하고……
새앙쥐, 산토끼 뛰노는 그곳……
두더지 이웃사촌……."

위대한 토드 선장,

눈을 꼭 감고 노래를 불렀습니다.

다른 대원들이

자기 노래를 듣기 싫어하는 것을

보고 싶지 않았거든요.

나리 중위는 콧수건을 머리에 뒤집어쓴 채
귀를 막고 투덜거렸어요.
"의사 선생님 말씀이 맞아요.
두꺼비들은 음치예요.
음정도 못 맞추면서 소리만 꽥꽥 질러 대죠.
특히 두꺼비 선장들은 더 심해요.
개구리들이 노래다운 노래를 하죠."
"아니야, 두꺼비가 잘해."
토드 선장이 말하자
"천만에요, 개구리가 더 잘해요."
대원들이 맞받아쳤어요.

선장과 대원들의 말다툼은
배 위에서 전쟁이 난 것처럼
치열해졌을 거예요.
그때 마침, “쿵!”
잠시 후 더 세게, “쾅!”
하고 별똥들의 전쟁호가
멈추지 않았다면요.

"우주선이 우주 암초에 걸렸어요."
공중제비가 소리쳤습니다.
토드 선장, 창밖을 내다보더니
"우주 암초에 걸린 게 아니라,
무언가에 들러붙었군."
하고 말했습니다.

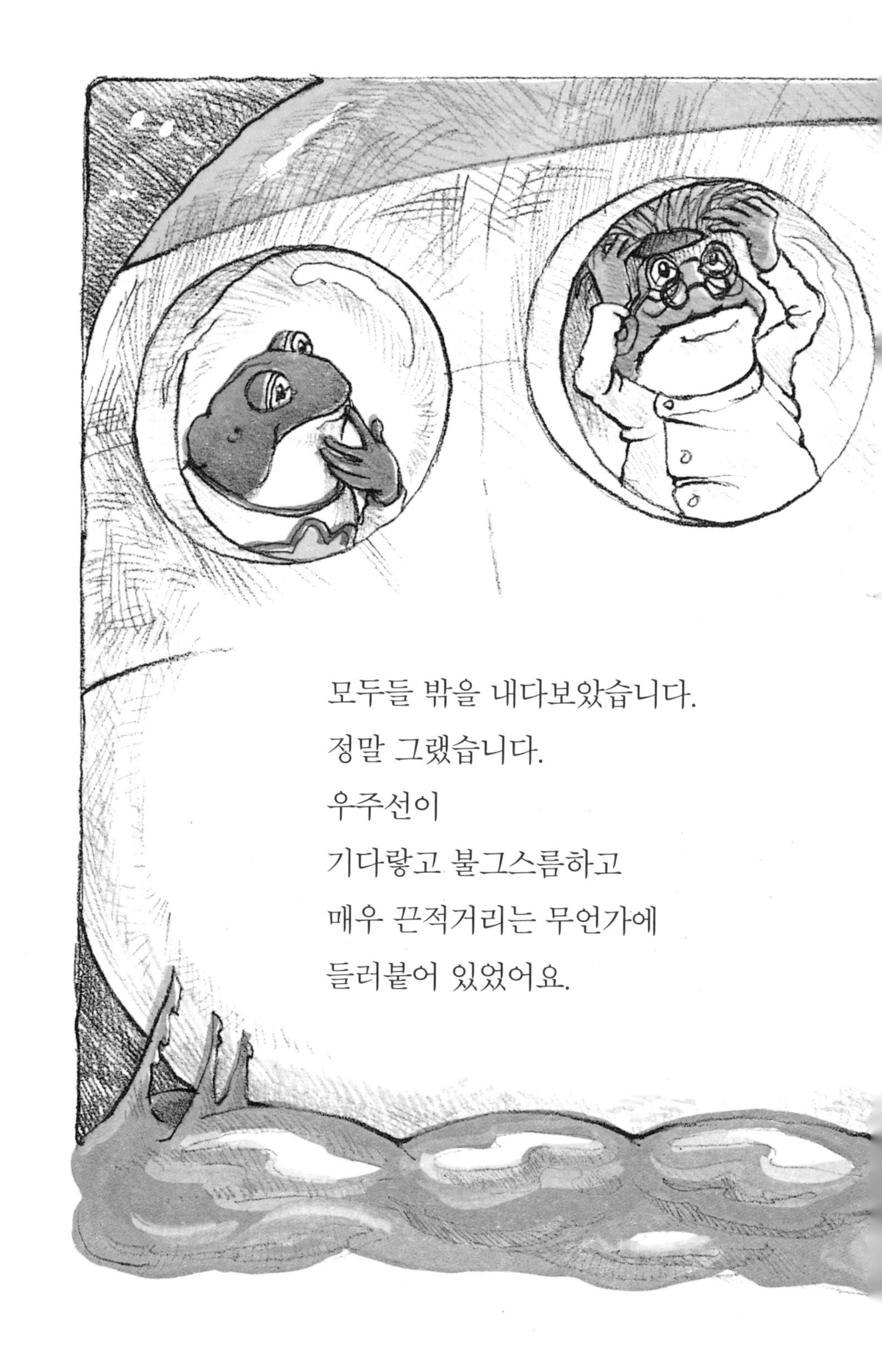

모두들 밖을 내다보았습니다.

정말 그랬습니다.

우주선이

기다랗고 불그스름하고

매우 끈적거리는 무언가에

들러붙어 있었어요.

"기다랗고
불그스름하고
끈적거리는 이것이
도대체 무엇일까요?"
나리 중위가 물었습니다.
"혹시, 우주 풍선껌?"

"어떻게 그런 개구리 같은
생각을 할 수 있지?
나는 우주선을 탄 후부터
지금까지 단 한 번도
우주 풍선껌 따위는
본 적이 없네."
위대한 토드 선장이
한심하다는 듯 말했습니다.

엄청생각 씨는 고개를
절레절레 흔들었어요.
엄청생각 씨는
그 기다랗고 불그스름하고
끈적거리는 것에 대한 자료를
컴퓨터에 입력했습니다.
컴퓨터도 골치가 아픈 것 같았어요.
그런 개구리 같은 것에 관한
정보는 없었거든요.

닥터꼼꼼 씨는
등긁이를 가발 밑에 넣어
머리를 긁으며 말했습니다.
“나는 저런 것을 매일 본다네.
저 기다랗고
불그스름하고
매우 끈적거리는 것은
다름 아닌 혓바닥일세.
그러니까 거대한 혀인 셈이지.”
“혀라고요?”

바로 그때,
그 혀가 블랙홀을 향해
움직이기 시작했어요.
우주선도 블랙홀로
끌려가기 시작했지요.
가까이,
더 가까이,
점점 더 가까이.

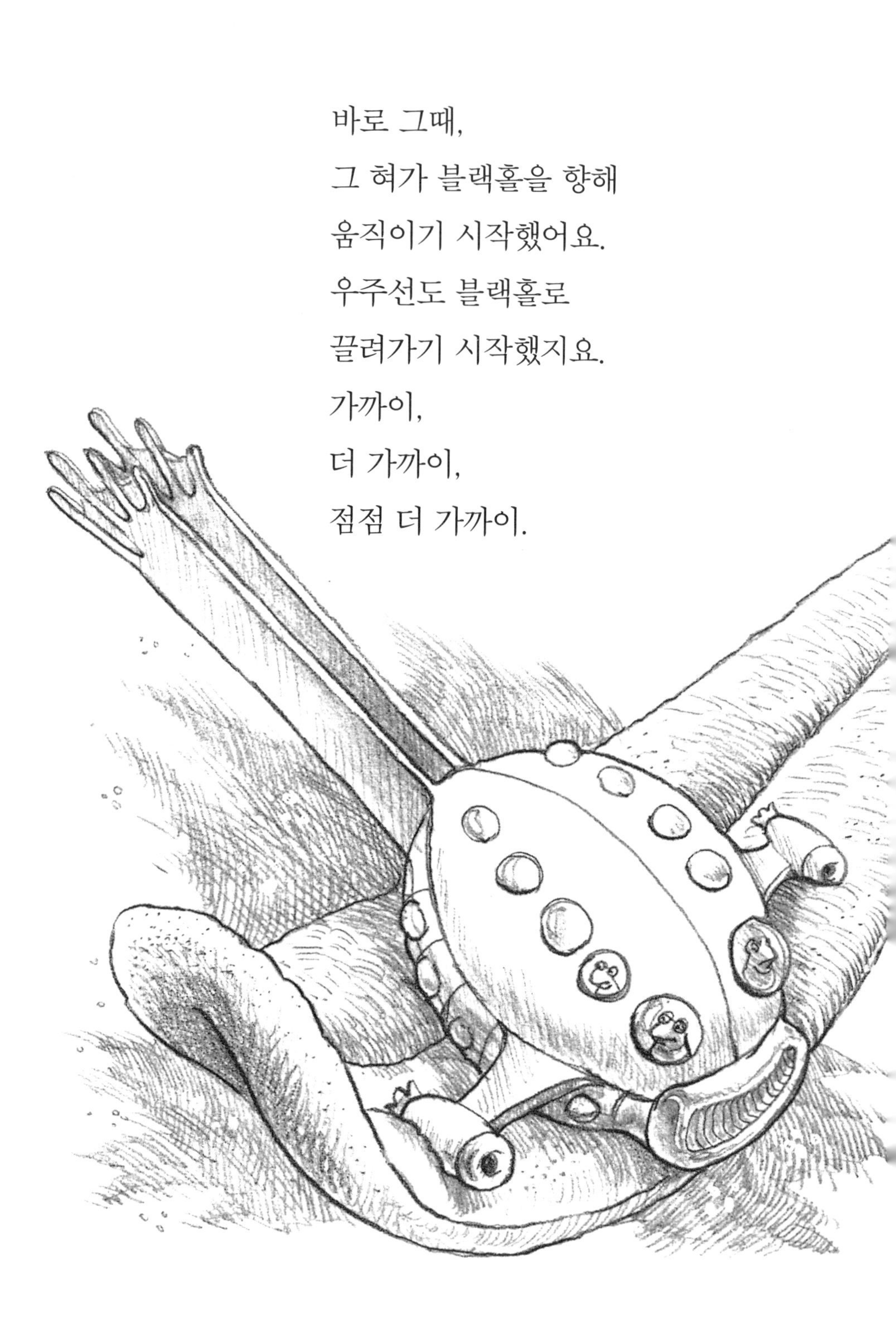

그러던 중 갑자기
무슨 소리가 들려왔습니다.
노랫소리 같았어요.
이런 노래 있잖아요.
"송곳니, 어금니, 비켜나세요.
긴 혀가 들어가요. 따르르르릉.
저기 있는 저 앞니 조심하세요.
터널 같은 식도로 들어갑니다."

우주선이 마구 흔들렸습니다.
“저 노랫소리는 정말 끔찍하군.”
엄청생각 씨가 말했습니다.
“음정이 하나도 안 맞아요.
저게 노래예요? 악쓰는 거지.”
나리 중위도 한마디 했습니다.

"정말 너무 심한데,
마치 뭐 같냐면……."
토드 선장도 맞장구를 쳤습니다.
"밥이에요, 밥!
우리는 지, 지, 지금 점심밥이 된 거라고요!"
공중제비가 비명을 질렀습니다.

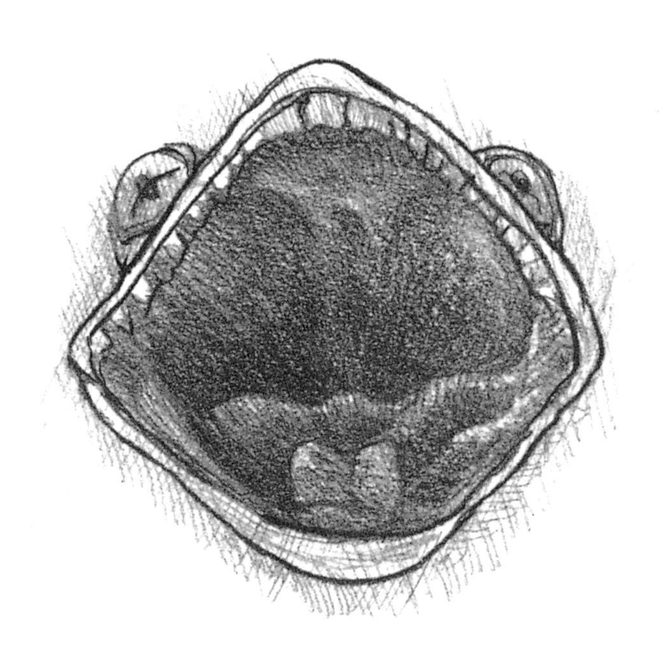

“저건 커다란 블랙홀이 아니라
커다란 블랙 마우스
즉, ‘컴컴한 아가리’예요!
그것도 E. T. 두꺼비의 아가리라고요!”
E. T. 두꺼비라는 소리에
모두들 무서워서
부들부들 떨고 말았습니다.
E. T. 두꺼비란
외계 두꺼비를 말하는 것이에요.

막내 공중제비가
열세 개나 되는 단추를 누르고
일곱 개나 되는 운전대를 돌렸어요.
그러나 별똥들의 전쟁호는
여전히 혓바닥에 들러붙어
꼼짝도 하지 않았습니다.

이번엔 나리 중위가
엔진을 반대 방향으로 돌렸습니다.
커다란 혀가 잠시 떨다가
다시 움직이기 시작했어요.
그 시커먼 구멍이
점점 가까워지고
점점 시커메지고
점점 넓어졌습니다.
"모든 대원은 탐사선으로!
서둘럿!"
토드 선장이 명령했습니다.

대원들은

우주복을 갈아입고

헬멧을 쓰고는

작은 탐사선에 끼어 탔습니다.

탐사선은 혀 주위를

맴돌았어요.

혀를 향해 총을 쏘는 나리 중위.

한 방, …… 두 방, …… 세 방!

그러나 최고의 명사수, 나리 중위도

거대한 혀한테는 꼼짝 못 합니다!

혀는 총알 세례를 받고도

물집만 몇 개 생길 뿐이었어요.

"이제 어쩌지?"

걱정되는 엄청생각 씨.

"내게 맡겨 두게. 좋은 생각이 있으니."

닥터꼼꼼 씨가 말했습니다.

공중제비는 닥터꼼꼼 씨가
가리키는 곳으로 탐사선을 몰았습니다.
구멍 속은 칠흑같이 깜깜하고
이빨이 많이 있었어요.
닥터꼼꼼 씨는
탐사선 밖으로 몸을 구부린 채
납작하고 기다란 막대로
혓바닥을 여기저기 눌러 보았습니다.

"쯧쯧, 자네 혀가 많이 아프겠구먼.
온통 물집투성이인걸.
'아!' 해 보게나, 자세히 좀 보게."
그러자,
"아 ——————————— !"
하는 소리가 들려오는 게 아니겠어요?
그 소리는, 음정도 불안한 것이
걸걸하고 엄청나게 컸습니다.

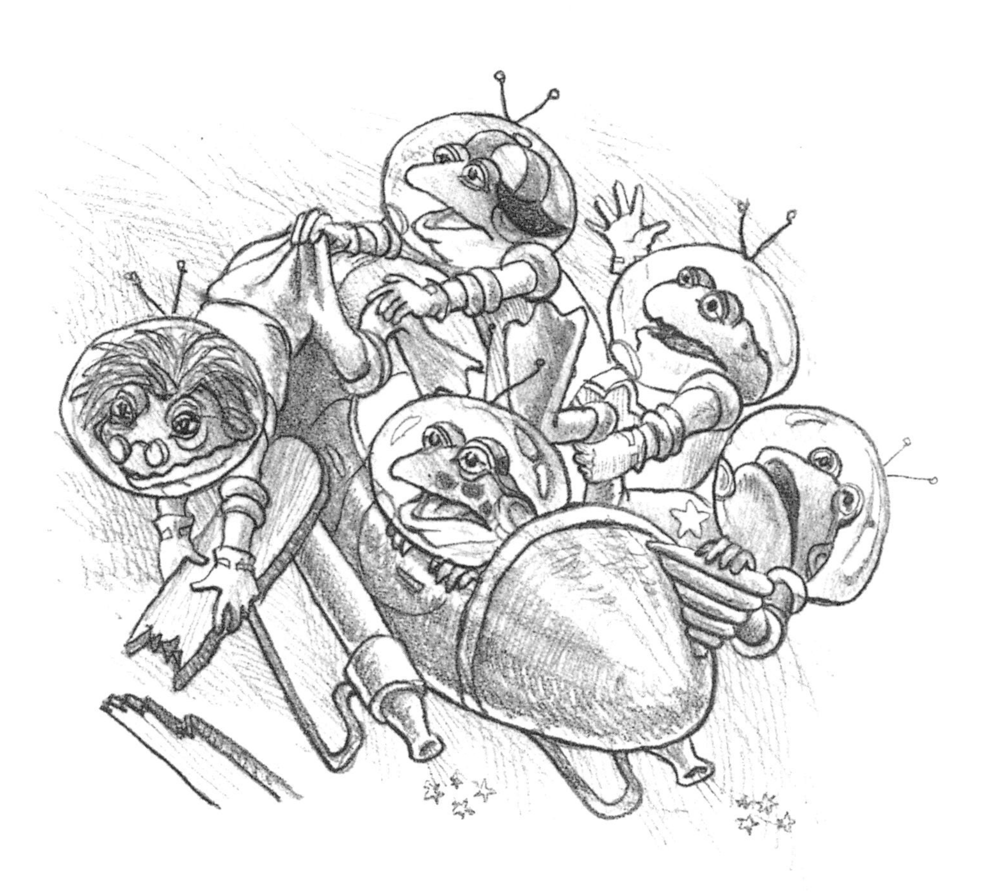

그때 막대가 부러지면서
탐사선이 균형을 잃고
심하게 흔들렸어요.
대원들은 멀미가 나는지
혀보다 더 아파 보였지요.
"후퇴! 탐사선을 돌려!"
토드 선장이 명령했습니다.

공중제비가 재빨리
탐사선을 돌려
구멍에서 빠져나왔습니다.
그렇지만 별똥들의 전쟁호는
그 커다랗고 시커먼 구멍으로
점점 더 다가가고 있었어요.

“이제 어쩌지?”

엄청생각 씨가 또다시 걱정했습니다.

“마지막 방법이 하나 있지.

바로 내 비밀 무기!”

위대한 토드 선장이 대답했습니다.

“비밀 무기라고요?

제 총보다 더 센 무기가 있어요?”

나리 중위는 고개를 갸웃거렸어요.

위대한 토드 선장이 씩 웃었습니다.
“두꺼비식 해결책이라고나 할까?
자, 그럼 잘 듣고 배우게나.”
두꺼비 토드 선장은
헬멧에 달린 마이크를 켰습니다.
토드 선장의 목소리가
캄캄한 우주 공간 속으로 울려 퍼졌습니다.

"내 고향 구멍으로 날 보내 주……."

토드 선장이 노래를 부르기 시작하자,

대원들은 모두 귀를 막았지요.

"오곡백화가 만발하고……."

선장의 노랫소리는

마이크 때문에 아주 컸지만,

듣기에 좋지는 않았어요.

"새앙쥐, 산토끼 뛰노는 그곳……."

그때 갑자기,
크고 걸걸한 또 다른 노랫소리가
토드 선장의 노랫소리와 함께
들려왔어요.

"새앙쥐, 산토끼 뛰노는 그곳……."
E. T. 두꺼비가 노래를 부르자,
그 커다란 혀가 오르락내리락
오르락내리락 움직이며,
별똥들의 전쟁호를
왼쪽으로 밀쳤다,
오른쪽으로 굴렸다,
뒤로 밀었다,
앞으로 당겼다 했어요.

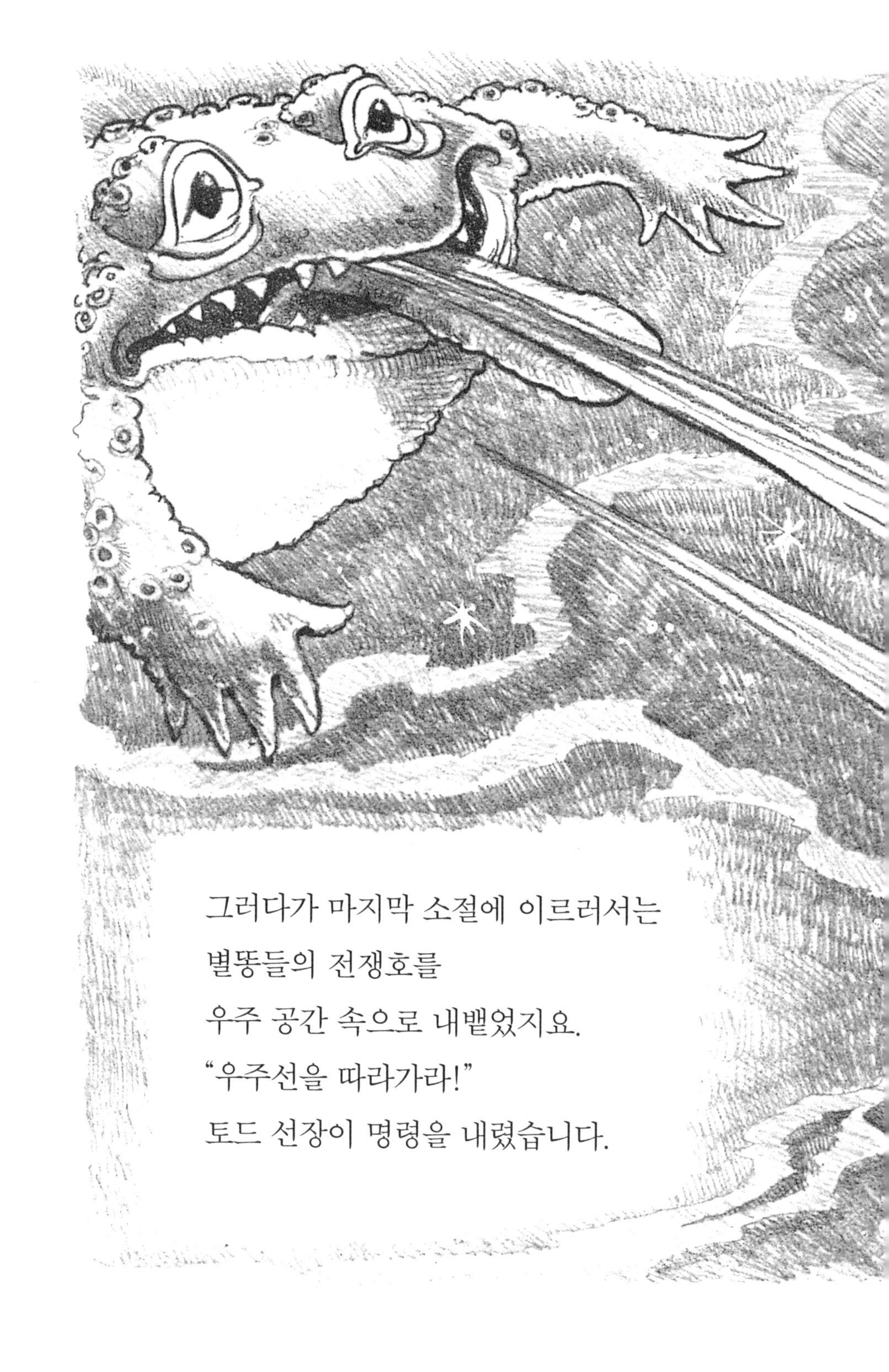

그러다가 마지막 소절에 이르러서는
별똥들의 전쟁호를
우주 공간 속으로 내뱉었지요.
"우주선을 따라가라!"
토드 선장이 명령을 내렸습니다.

탐사선은 빠르게 날아가
은하수를 막 지나온
별똥들의 전쟁호를 따라잡았습니다.
마침내 우주선에 오른 대원들,
몸은 몹시 피곤했지만
우주선을 되찾아 기뻤습니다.

"그런 방법이 있다는 것을
어떻게 알았어요?"
식탁에 둘러앉아 쉬고 있을 때
엄청생각 씨가 신기한 듯 물었습니다.

"정말 궁금해요, 선장님.
제 총도 소용없고,
의사 선생님의 혀 막대도
도움이 되지 않았는데,
어떻게 그런 생각을 한 거예요?"

"내가 올챙이였던 시절을 돌이켜 봤지.
우리 어머니께서는 나에게
종종 이렇게 말씀하셨어.
'함부로 노래를 부르지 말아라…….'"
"어머니께서는 자네의 노래 실력을
잘 알고 계셨군."
닥터꼼꼼 씨가 키득키득 웃었습니다.

“그게 아니라
우리 어머니 말씀은,
‘입안에 음식이 있을 때는
노래를 부르지 말아라…….’”
대원들이 모두 깔깔 웃었습니다.
“‘입안에 음식이 있을 때 노래를 부르면,
음식이 입 밖으로 튀어 나가니까…….’”

“어머니께서는 무척 현명한 분이셨군요.”
엄청생각 씨는 고개를 끄덕이며
감탄했습니다.
“그 어머니에 그 아들일세.”
닥터꼼꼼 씨도 맞장구를 쳤습니다.
대원들은 모두 배불리 저녁을 먹었습니다.
밥이라야 모두
알약 같기도 하고, 총알 같기도 하고,
구슬 같기도 하고, 눈알같이도 생겼지만,
아무도 불평하지 않았습니다.
물론 다 먹을 때까지는
아무도 노래를 부르지 않았지요.

저녁을 다 먹고 난 후 대원들은
우주선이 떠나갈 듯 큰 소리로
입을 모아 합창했습니다.
"내 고향 구멍으로 날 보내 주……."
토드 선장과 대원들은
이 별에서 저 별로,
저 별에서 또 다른 별로
드넓은 은하계를
폴짝폴짝 누비고 다닙니다.